Stunden-
abschlüsse

mit Stundenabschlüssen
von
David Mautz
Priska Seidl
Jan Golubkow
Michael Fromm
Katrin Bock
zusammengestellt
und bearbeitet von
Daniel Hofstätter

Vorwort

Wer kennt es nicht? Am Ende der Unterrichtsstunde galoppiert die Zeit davon – oder umgekehrt – man ist viel schneller durch den Stoff gekommen als erwartet. Dabei können die letzten Minuten der Unterrichtsstunde auf so vielfältige Weise produktiv genutzt werden: um Schülerinnen und Schüler dazu zu ermutigen, über das Gelernte nachzudenken, ihre Erfahrungen zu verinnerlichen und zu teilen, oder auch dazu, den Gruppenzusammenhalt zu stärken. Nicht zuletzt können aber konzentrierte Aufführungen ebenso als Stundenabschluss in Frage kommen wie Entspannung oder Auflockerung und Spielspaß. Auch mit einem bewussten Kontrapunkt zum Inhalt der Stunde oder ganz klassisch mit einem Repetitorium lässt sich der Unterricht abrunden und eine Brücke zwischen den Unterrichtsstunden schlagen.

In dieser Sammlung finden Sie Ideen, Spiele, Übungen und Methoden, die bewusst gestaltet aktivierend, reflektierend oder auch entspannend sind – alles mit dem Ziel, die letzten Minuten jeder Unterrichtseinheit kurzweilig, konstruktiv und der unterrichtlichen Intention angemessen gestalten zu können. Um Ihnen bestmöglichen Überblick zu bieten und eine schnelle Auswahl an in Frage kommenden Ideen zu ermöglichen, ist die Sammlung in folgender Kapiteleinteilung angelegt: „Rituale und Spiele", „Repetitorium und Zusammenfassung", „Retro und Feedback", „Aufführung und Präsentation" sowie „Cool-down". Dabei können viele Ideen auch zur Verfolgung unterschiedlicher Ziele eingesetzt werden.

Vorwort

Ziele und Funktion

Die Intentionen der einzelnen hier beschriebenen Stundenabschlüsse sind zwar den Kapitelüberschriften zu entnehmen, keineswegs sind diese aber eindimensional zu sehen bzw. zu verstehen. So sind auch andere Einteilungen der Sammlung denkbar, die Sie einem alternativen Register am Ende der Zusammenstellung entnehmen können. Beispielsweise können viele der Abschlüsse auch mit der Intention eingesetzt werden, am Ende der Stunde einen musikpraktischen Akzent zu setzen. Ebenso können auch die Verbesserung der Körperwahrnehmung, aktives Hören oder – noch spezifischer – das Erfassen und Wiedergeben von Rhythmen Motive sein, einen bestimmten Stundenabschluss zu wählen.

Ein wesentlicher Gedanke bei der Auswahl eines bestimmten Stundenabschlusses kann sein, einen konkreten aktuellen Lerninhalt zu festigen. Natürlich kann eine direkt einsetzbare Sammlung an Ideen, die in möglichst vielen Unterrichtssituationen zweckdienlich sein will, diese konkrete Verknüpfung mit Inhalten nur bedingt leisten. Jedoch sollten Sie keinesfalls vor Ideen zurückschrecken, die thematisch von Ihren Unterrichtsschwerpunkten abweichen. Auf fast alle der hier beschriebenen Ideen trifft zu, dass sie leicht zu adaptieren sind und ggf. mit geringer Vorausplanung für Ihre individuelle Unterrichtssituation einsetzbar sind. Mit dieser breiten Palette an Gestaltungsmöglichkeiten für den gelungenen Ausklang der Musikstunde möchten wir Ihnen ideale Voraussetzungen für die Unterrichtsplanung vorab wie auch für den spontanen Einsatz in der Klasse bieten, wenn es gilt, die verbleibende Unterrichtszeit konstruktiv zu nutzen. Wir hoffen, damit Ihnen und Ihren Schüler*innen viel Freude zu bereiten.

Vorwort

Alle Stundenabschlüsse in diesem Heft:

funktionieren im Klassenraum, im Fachraum oder in anderen Räumen.

binden immer eine ganze Klasse ein.

dauern nie länger als ein paar Minuten.

funktionieren ohne viel zusätzliches Material.

Im Kapitel **Rituale und Spiele** sind insbesondere Stundenabschlüsse zu finden, die stets spontan und losgelöst von jeder thematischen Anbindung an die vorangegangene Stunde funktionieren. Diese Ideen leben auch davon, sie in regelmäßigen Abständen (einmal pro Woche oder einmal pro Monat) zu wiederholen. Einige davon eignen sich ebenso als Repetitorium zu Grundbegriffen, Notenwerten etc.

Das Kapitel **Repetitorium und Zusammenfassung** bietet eine Auswahl an Ideen, die vielfach sowohl als Zusammenfassung als auch zur Wiederholung weiter zurückliegender Unterrichtsinhalte dienen können. In der Zusammenstellung finden sich adaptierbare Vorschläge zu konkreten thematischen Anknüpfungspunkten, wie etwa Notenlehre, genauso wie Methoden zur Ergebnissicherung in Stunden, in denen etwa Bewegungsabläufe erlernt wurden. Naturgemäß geht es hier aber eher um spontan einsetzbare Methoden als um eine konkrete Anbindung an bestimmte Themen. Selbstredend funktionieren Repetitorien oft besonders gut, wenn sie spielerisch gestaltet sind und werden oft auch ritualisiert eingesetzt.

Vorwort

Im Kapitel **Retro und Feedback** finden Sie direkt einsetzbare Methoden, um den Stundenverlauf – oder auch den Unterricht generell – mit ihren Schüler*innen retrospektiv zu betrachten und möglichst gewinnbringende Rückmeldungen zu erzielen. Dabei steht die konstruktive Gestaltung der Gruppenprozesse in der Klasse im Vordergrund. Materialien, die zu diesem Zweck generell einsetzbar sind, werden in diesem Heft mitgeliefert. Um ein persönliches oder themenspezifisches Feedback einzuholen, müssen natürlich vorab entsprechende Fragen oder Impulse formuliert werden.

Aufführungen und Präsentationen sind in der Unterrichtsrealität natürlich dort, wo es sich anbietet, selbstverständlicher Bestandteil und bilden oft auch den krönenden Abschluss einer Einstudierungs- oder Erarbeitungsphase. Die Ideen im Kapitel beziehen sich auf Alternativen bzw. erweiternde Ideen zu dieser gelebten Praxis.

Nicht zuletzt sind auch **Cool-downs** nach quirligen, möglicherweise lauten oder besonders herausfordernden Unterrichtsphasen wertvoll. Selbsterklärend können hier allerhand etablierte Entspannungsübungen zum Einsatz kommen. Die Auswahl an Ideen beschränkt sich daher fast ausschließlich auf besonders musikunterrichtsspezifische Vorschläge. Gerade hier wird aber auch deutlich, dass situationsabhängig Ideen aus anderen Kapiteln zum Einsatz kommen können. Beispielsweise etwa Rituale, in denen es um das Hören von Musik geht, oder stille Feedbackrunden und Retros.

Und nun viel Spaß beim Stöbern in diesem Buch und hoffentlich bei vielen Musikstunden mit gelungenen Ausklang!

Ihr

Daniel Hofstätter

Inhalt

Rituale und Spiele

Album der Woche	9
Aufräum-Song	10
Dirigieren	11
Stomp	12
Becher-Percussion	13
Bodypercussion-Challenge	14
Call-and-Call-Stuhlpercussion	15
Beat der Woche	16
Das verbotene Pattern	18
Der Akkord der Woche	19
Die musikalische Entdeckung der Woche	20
Musikrichtung der Woche	21
Hör-Bingo	22
Human-Memory	23

Repetitorium und Zusammenfassung

Faktenwette	25
True-or-False	26
Podcast–Summary	27
Bulletpoints	28
Zeitleiste	29
Wandzeitungs-Ausstellung	30
Stilles Gruppen-Cluster	31
Stille Diskussion	32
Vorab-Aufgabe	33
Lern-Tagebuch	34
Bewegungsvokabular festigen	35
Checker-Fragen	36
Musikwissen mit Buzzern	37
Online-Quiz-Fragebögen	38
Wissensalphabet	39

Inhalt

Retro und Feedback

Start-Stop-Continue	41
Segelboot	42
Rollenkarten	43
Daumen-Abfrage	44
Zielscheibe	45
Ein-Wort-Check-out	47
Stilles Retro-Gruppencluster	48
Positivity-Post-its	49
Fragebogen	50
Drei-Wort-Sandwich	52
Retro-Karten	53

Aufführung und Präsentation

Vor der Abschlussperformance – Vorhang auf!	57
Work in Progress	58
Konzert „on demand"	59
(General-)Probe mit Aufzeichnung	60
Konzert für Spontan-Gäste	61
Multimediale Präsentationen	62
Hör-Landkarten	63

Cool-down

Nach dem Klassenmusizieren: Die Melodie mit nach Hause nehmen	65
Nach der Szenischen Interpretation: Ausschütteln	66
Nach dem Tanzen: Dehnen und Massage mit Bällen	67
Stille Rhythmuspost	68
4-6-8-Atmen	69
Kostbare Stille	70

Weiterführende Literatur

71

Register

72

Rituale und Spiele
Stunden-
abschlüsse

Ziel
Aktives Hören, neue Hörerfahrungen sammeln

Stunden-abschlüsse
Rituale und Spiele

Album der Woche
Unkommentiertes Hören ausgewählter Musik

Ohne vorab zu besprechen, welche Musik diesmal zu hören sein wird, hören alle zusammen ca. fünf Minuten ein Musikstück oder Ausschnitte mehrerer Titel eines Albums. Am Ende erfahren die Schülerinnen und Schüler, von wem die Musik stammt. Der Titel des gehörten Stücks bzw. der gehörten Ausschnitte und der Albumtitel werden genannt. Ansonsten erfolgt das Hören unkommentiert und soll bewusst dazu dienen, die eigene Hörerfahrung zu erweitern, ohne sie direkt einordnen zu müssen. Selbstverständlich werden ggf. Nachfragen der Schülerinnen und Schüler beantwortet.

Jede Woche wechselt das Album. Dabei können die Schülerinnen und Schüler auf freiwilliger Basis jeweils am Ende der Stunde einen Vorschlag auf einen Papierschnipsel schreiben und diesen der Lehrkraft geben oder ihren Vorschlag – vorzugsweise anonym – in ein (online geteiltes) Dokument eintragen.

Es bietet sich an, einen stets überraschenden Mix aus der aktuell in der Klasse beliebten Musik und aus Schlüsselmomenten der Musikgeschichte – von alter Musik bis zu Jazz, Pop, Rock sowie neuer Musik und EDM – anzubieten, der (im Rahmen des vertretbaren) keine Extreme scheut. Durch den etablierten Rahmen dieser kurzen, unkommentierten Hörphase, kommt es kaum zu Störungen und oft zu bemerkenswerten Reaktionen auf besonders hervorstechende Qualitäten von historischer und zeitgenössischer Musik, die vielen Schülerinnen und Schülern bisher unbekannt waren.

Die Sammlung der gehörten Musik in Form einer Playlist oder einer entsprechenden Tabelle, die laufend (nach dem Hören) ergänzt wird und den Schülerinnen und Schülern zur Verfügung steht, rundet das Unterrichtsvorhaben ab.

Stunden-abschlüsse
Rituale und Spiele

Ziel
Neue Hörerfahrungen sammeln, Spaß

Aufräum-Song
Musikhören während des Aufräumens

Während des Aufräumens wird ein Song oder ein Musikstück gehört. Das Stück bzw. der Song kann von der Lehrkraft ausgewählt oder von einem Schüler bzw. einer Schülerin vorgeschlagen werden.

Bevor es ans Aufräumen geht, soll die Person, die das Stück gewählt hat, die wichtigsten Informationen dazu mitteilen: Wie heißt der Interpret bzw. die Interpretin? Welchem Genre oder Stil ist das Musikstück zuzuordnen? Gibt es eine besondere Message, eine Handlung oder nennenswerte Hintergründe? Was macht für den Schüler oder die Schülerin den Reiz des Songs bzw. der Komposition aus? Wo hat er oder sie diesen Song bzw. das Stück entdeckt? In welchen Situationen genießt er oder sie es besonders, dieses Musikstück zu hören?

Stunden-
abschlüsse
Rituale und Spiele

Ziel

Selbstwahrnehmung verbessern, musikalisches Wissen festigen, Zusammenspiel in der Gruppe

Dirigieren

Schüler*innen dirigieren und Grundbegriffe werden gefestigt

Am Beginn dieser mit jeder Wiederholung komplexer werdenden Übung steht die Frage: Was machen eigentlich Dirigent*innen? Anschließend wird die Klasse aufgefordert, ohne Hilfe durch die Lehrkraft, einmal gemeinsam synchron auf einen Oberschenkel zu patschen. Ein Freiwilliger oder eine Freiwillige darf nun versuchen, der Klasse ein eindeutiges Handzeichen zu geben, sodass möglichst gleichzeitig einmal gepatscht wird. Das Resultat darf ruhig mit kritischem Blick begutachtet werden. In der Reflexion darüber, was gewollt wurde, und ob die Umsetzung funktioniert hat, fließen ganz nebenbei die Fachbegriffe immer wieder ein.

Nach und nach können in jeder weiteren Stunde Fachbegriffe und musikalische Parameter eingeführt werden und am Ende jeder Stunde darf eine Schülerin oder ein Schüler sich darin versuchen, die Klasse zu dirigieren.

Patschen: Es bietet sich an, von Mal zu Mal das Repertoire an Handzeichen zu erweitern:
- für einzelne Schläge (ggf. in mehreren Gruppen)
- für (das synchrone) Beginnen und Beenden von durchgängigem Patschen (in Gruppen)
- für forte und piano
- für crescendo und decrescendo

Singen: Hier können (auch bei freier Tonwahl) noch zusätzlich Zeichen für die Veränderung der Tonhöhe sowie für Parameter wie staccato, legato und portato erforscht werden. Alternativ kann auch mit vorgegebenen Tönen und Akkorden experimentiert werden.

Im weiteren Verlauf können auch verschiedene Aufstellungen (Chor und Orchester) erfahrbar gemacht und einfache Schlagtechniken (3/4-Takt und 4/4-Takt) erklärt werden sowie pattern-basierte Kompositionen oder Improvisationen mit Stimme, Bodypercussion oder Alltagsgegenständen dirigiert werden.

Stundenabschlüsse
Rituale und Spiele

Ziel
Gemeinsam Rhythmus halten, Spaß, Zusammenspiel in der Gruppe

Stomp
Rhythmisches Aufräumen

Alle Gegenstände, angefangen mit Stiften und Büchern, bis hin zu Instrumenten, Laptops und Tablets, sollen am Ende der Stunde wieder an ihren Platz zurückgebracht werden – warum nicht mit einem gemeinsamen Beat?

Alle Bewegungen und Geräusche, die während des Aufräumens entstehen, dürfen nur in einem vorgegebenen, einfachen Rhythmus geschehen. Das Pattern wird entweder von der Lehrkraft oder einer Schülerin bzw. einem Schüler vorgegeben. Gegebenenfalls kann das Pattern kurz geübt werden. Ab einem vereinbarten Zeitpunkt müssen alle Handgriffe und Bewegungen so ausgeführt werden, dass (nur) der Rhythmus zu hören ist – bis alle Gegenstände ihren ursprünglichen Platz gefunden haben und die Tische leer sind.

Variante 1: Zusätzlich kann ein Song als Playback dienen.

Variante 2: Wenn zum Ende der Stunde der Klassenraum gefegt werden muss, warum dann nicht das Ganze nach dem Vorbild von Stomp erledigen? Mit einem Klassensatz Besen ist auch diese Variante umsetzbar.

Ziel

Gemeinsam Rhythmus halten, Zusammenspiel in der Gruppe, Auflockerung, Koordination

Stunden-abschlüsse
Rituale und Spiele

Becher-Percussion
Ein Rhythmus-Pattern mit Bechern erfinden

Natürlich kann auch ein einstudierter Cup-Song das Ende einer kopflastigen Unterrichtssequenz auflockern, jedoch können diese einfachen Rhythmusinstrumente auch spontan zum Einsatz kommen – die Musikpraxis mit Bechern bringt Spaß, sorgt für koordinative Herausforderung und ist damit bekanntlich auch langfristig förderlich für eine verbesserte Lern- und Konzentrationsleistung.

Variante 1: In der Klasse kann spontan eine Bewegungsabfolge entwickelt werden (indem etwa einzelne Schüler die jeweils nächste Bewegung vorgeben) und die Lehrkraft diese Bewegungen rhythmisch strukturiert.

Variante 2: Im Vorfeld wurde mindestens ein Cup-Song oder ein „Becher-Groove" einstudiert, der immer wieder am Ende von Musikstunden zum Einsatz kommt – dabei können Mitspielsätze zu bestehenden Songs zur Verwendung kommen, die auch in Eigenregie recht schnell entwickelt werden können oder es kann auf eine bestehende Sammlung zurückgegriffen werden.

Material

ein Klassensatz Becher

Stunden-abschlüsse
Rituale und Spiele

Ziel
Puls halten, Rhythmen hörend erfassen und wiedergeben, Koordination

Bodypercussion-Challenge
Spiel mit Call-and-Call-Rhythmen

Alle stehen auf und gehen am Platz im Viertelpuls. Die Lehrkraft klatscht bzw. patscht einen Rhythmus in der Länge eines 4/4-Taktes vor, der von den Schülerinnen und Schülern im folgenden Takt unisono wiederholt werden soll. Abwechslung in Bezug auf den Schwierigkeitsgrad, die Dynamik und binäre bzw. ternäre Teilung des Grundschlags sorgen für Aufmerksamkeit und Herausforderung. Im Idealfall funktioniert der gesamte Ablauf nonverbal.

Es bietet sich an, den Schwierigkeitsgrad Stück für Stück zu steigern und sobald mehrere Schülerinnen oder Schüler Schwierigkeiten haben den Rhythmus wiederzugeben, die Pattern schlagartig wieder zu vereinfachen, um sich wieder Schritt für Schritt an die Herausforderung herantasten zu können. Das Tempo zu variieren bzw. bewusst viel schneller oder langsamer zu gestalten (vorallem wenn die Gruppe unbewusst schneller wird), bringt weitere Abwechslung.

Variante: Auf jedem ersten Schlag des Taktes erfolgt ein Schritt (mit dem rechten Fuß) nach vorne. Auf die Schläge zwei, drei und vier folgen wieder Schritte in der Ausgangsposition am Platz.

Ziel
Rhythmen hörend erfassen und wiedergeben, Spaß

Stunden-abschlüsse
Rituale und Spiele

Call-and-Call-Stuhlpercussion
Stühle und Tische als Percussion-Instrumente

Besonders, wenn die Stühle am Ende der Unterrichtsstunden hochgestellt werden müssen, ist die Lautstärke der Geräuschkulisse im Klassenraum besonders hoch. Warum nicht das Unangenehme mit dem Nützlichen verbinden?

Die Lehrkraft kann in unterschiedlicher Lautstärke eine rhythmisierte Abfolge vormachen, die aus dem Verrücken, Hochheben, Absetzen oder auch aus dem Trommeln auf Stühlen und Bänken besteht. Diese Abfolge soll von den Schülerinnen und Schülern wiederholt werden, sodass sich, wie gewünscht, am Ende alle Stühle auf den Tischen befinden. Doch auch, wenn es lediglich in die Pause geht und die Stühle nur ordentlich an den Tischen stehen sollen, kann diese Übung auflockern und die gemeinsame Beendigung der Stunde unterstützen.

Natürlich sind der Kreativität keine Grenzen gesetzt – eine aufwendige Choreografie, bestehend aus mehreren Bewegungsabfolgen, deren Ende die Schülerinnen und Schüler nicht bestimmt voraussagen können, hat auch seinen Reiz.

Variante: Ein Schüler bzw. eine Schülerin erfindet eine kurze rhythmische Bewegungsabfolge mit Stuhl, Schulranzen oder Büchern und Stiften, die jeweils von der rechten Sitznachbarin bzw. dem rechten Sitznachbarn wiederholt werden muss. Er oder sie muss dann eine weitere Abfolge erfinden, die wiederum von der nächsten Schülerin bzw. dem nächsten Schüler wiederholt wird.

Stunden-abschlüsse
Rituale und Spiele

Ziel
Rhythmen hörend erfassen und wiedergeben, Groove gemeinsam halten, Schlagzeug kennenlernen

Beat der Woche
Bodypercussion-, Beatboxing- oder App-Schlagzeug-Beats lernen

Jede Woche wird ein typischer Rock-, Pop-, Hip-Hop oder EDM-Song am Ende der Stunde einstudiert. Dabei können Beats aus aktuellen Popsongs analysiert und (in ihren Grundzügen) nachgeahmt werden oder einfache Beats von der Lehrkraft oder einzelnen Schülerinnen bzw. Schülern vorgestellt und Stück für Stück erlernt werden. Sollte es mal etwas komplexer zugehen, bietet es sich an, die einzelnen Elemente des Beats auf Gruppen aufzuteilen. Zur Umsetzung sind auch in jedem Lernsetting Möglichkeiten gegeben:

Variante 1: Bodypercussion
- Brust-Patschen (Bass Drum)
- Klatschen (Snare)
- ggf. Schnipsen oder Handrücken-Patschen (HiHat) bzw. Oberschenkel-Patschen (HiHat oder Toms)

Variante 2: Beatboxing
- „pf" (Bass Drum)
- „k" (Snare)
- „ts" Schnipsen oder Handrücken- bzw. Oberschenkel-Patschen (HiHat)
- „d" (Toms)

Variante 3: App-Schlagzeug (GarageBand)
- Instrumente des virtuellen Drumsets bzw. Drumcomputers

Stunden-abschlüsse
Rituale und Spiele

Beispiele:

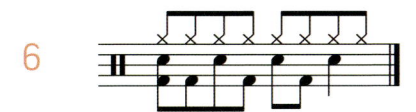

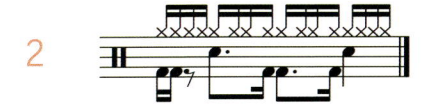

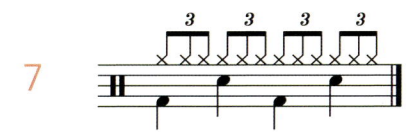

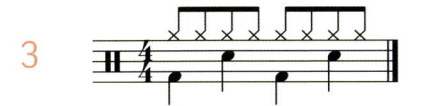

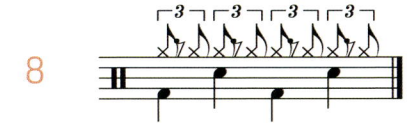

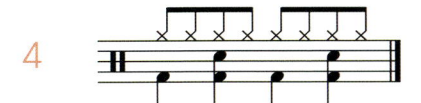

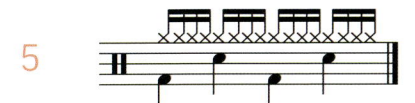

1.
2.
3.
4.
5.
6.
7.
8.
9.
10.

Stundenabschlüsse
Rituale und Spiele

Ziel
Rhythmen und Tonfolgen hörend erfassen und wiedergeben, Konzentration

Das verbotene Pattern
Ein verbotenes Pattern darf nicht wiederholt werden

Ein verbotenes Pattern wird festgelegt. Anschließend stellt die Lehrkraft weitere Pattern vor, die jeweils von den Schülerinnen und Schülern einmal wiederholt werden sollen. Nur das verbotene Pattern darf nicht wiederholt werden. Wird das verbotene Pattern wiederholt, erhält die Lehrkraft einen Punkt, wird es von niemandem wiederholt, erhält die Klasse einen Punkt. Wer als erster drei Punkte erreicht hat, hat gewonnen.

Variante 1: Umsetzung mit Bodypercussion bzw. Klatschen

Variante 2: Umsetzung mit der Stimme („ta-ti-ti" etc. oder „pf", „sch", „t", „s" usw.)

Variante 3: Tonale Umsetzung (gesungen, mit Instrumenten oder klangerzeugenden Apps)

Ziel
Gehörbildung, musiktheoretische Grundlagen erlernen

Stunden-abschlüsse
Rituale und Spiele

Der Akkord der Woche
Harmonielehre in kleinen Häppchen

Die Klasse wird in mehrere Gruppen eingeteilt, die nach Vorgabe der Lehrkraft jeweils einen Ton singen und aushalten sollen. Im Zusammenklang soll sich ein bestimmter Akkord ergeben. Dieser Akkord wird an die Tafel geschrieben, auf dem Klavier und evtl. auch noch auf anderen Instrumenten angespielt, auch der Aufbau und ggf. auch die Funktion des Akkords werden kurz erklärt.

Variante 1: Schülerinnen und Schüler können auf diese Weise auch mit Intervallen vertraut gemacht werden.

Variante 2: Schülerinnen und Schüler können dazu angeregt werden, selbst zu versuchen, die Klasse anzuleiten.

Stunden-abschlüsse
Rituale und Spiele

Ziel
Musik und Wahrnehmung reflektieren

Die musikalische Entdeckung der Woche

Eindrücke rund um Musik sammeln und darüber sprechen

Die Klasse wird aufgefordert, im Alltag bewusst Musik, Klänge und musikalische Erfahrungen wahrzunehmen, die (warum auch immer) Eindruck hinterlassen. Egal, ob es um Wahrnehmung von Alltagsgeräuschen geht, um die Entdeckung neuer Musik, um den Besuch eines Konzerts oder möglicherweise um den persönlichen Fortschritt einer Schülerin oder eines Schülers während des Übens eines Instruments. Am Ende der Stunde kann Platz dafür geschaffen werden, dass alle Schülerinnen und Schüler in sich gehen und einen musikalischen Moment aus der vergangenen Woche mit der Klasse teilen und ihn beschreiben.

Ziel

Aktives Hören, neue Hörerfahrungen sammeln, Wissen über Musikgeschichte aufbauen

Stunden-abschlüsse
Rituale und Spiele

Musikrichtung der Woche

Musikgeschichte als Elevator Pitch

Die unendliche Vielfalt der Musik im Unterricht fundiert abzubilden, ist allein aus Zeitmangel nicht machbar. Am Beginn des Schul(halb)jahres kann eine Sammlung von Musikstilen, Genres und Epochen erstellt werden, anschließend wird jedem Schüler bzw. jeder Schülerin eines dieser Themen zugeteilt. Am Ende jeder Stunde präsentiert ein Schüler oder eine Schülerin die wesentlichsten Informationen über das ihm bzw. ihr zugeteilte Thema innerhalb von einer Minute und spielt anschließend ein selbstgewähltes, repräsentatives Hörbeispiel bzw. einen Ausschnitt daraus vor, dazu stehen zwei Minuten zur Verfügung.

Stundenabschlüsse
Rituale und Spiele

Ziel
Aktives Hören, musikalische Parameter kennenlernen

Hör-Bingo
Drei musikalische Parameter werden festgelegt und hörend erkannt

Alle Schülerinnen und Schüler skizzieren ein Bingofeld mit 4x4 Feldern. Es werden drei Zeichen vereinbart, z. B. Punkt, Strich, Bogen, die musikalischen Parametern zugeordnet werden (staccato, portato, legato). Die drei Zeichen können beliebig auf die Felder verteilt werden (ein Zeichen pro Feld).

Die Lehrkraft spielt nun mehrere Tonfolgen vor (im Beispiel: mal portato, mal staccato, mal legato) und führt eine Strichliste, welche Variante wie oft gespielt wurde.

Es gelten die Bingo-Regeln: Wer vier benachbarte Felder abhaken kann, hat gewonnen. Eine kleine Belohnung bietet sich an, um die Motivation in der Klasse hoch zu halten.

Das Spiel kann nahezu endlos adaptiert werden, z. B.:
- mit Klangbeispielen dreier Instrumente und entsprechenden (frei gewählten) Symbolen
- mit Tonfolgen in Zusammenhang mit Solmisationssilben (so-mi, do-re etc.)
- mit drei Intervallen (Symbole: entsprechende Ziffern)
- mit dem Vergleich jeweils zweier Töne, die
    - lauter, leiser oder gleich laut gespielt werden (Symbole: cresc., decresc., und gerader Strich)
    - sich in ihrer Tonhöhe unterscheiden, also daraufhin untersucht werden sollen, ob der jeweils zweite Ton höher, tiefer oder eine Tonwiederholung des ersten war (Symbole: Pfeil nach oben, Pfeil nach unten, gerader Strich)
- mit drei Akkordtypen (z. B.: Dur, Moll, Vermindert)
- etc.

Ziel

Spaß, Begriffe, Rhythmen und Töne erfassen

Stunden-abschlüsse
Rituale und Spiele

Human-Memory
Ein Spiel mit Musik(-begriffen)

Dieses Memory-Variante kann für besonders überraschende und unterhaltsame Momente sorgen: Zwei Schüler*innen – ggf. auch zwei Teams – verlassen den Klassenraum. Die übrigen Schüler*innen finden sich in Zweiergruppen zusammen. Sitznachbarschaften müssen dabei aufgelöst werden und auch das Bilden einer Zweiergruppe von besten Freund*innen ist nicht erlaubt. Nun überlegt sich jede Zweiergruppe einen Begriff, den Namen eines Komponisten bzw. einer Komponistin, einen Bodypercussion-Rhythmus, eine gesungene oder gepfiffene Tonfolge oder Ähnliches. Der Fantasie sind keine Grenzen gesetzt. Es sollte aber stets Musikbezug haben.

Nun verteilen sich alle ungeordnet im Klassenzimmer. Die beiden Teams oder Kontrahent*innen werden hereingebeten und spielen ganz klassisch Memory.

Ein Vertreter bzw. eine Vertreterin eines Rate-Teams nennt den Namen einer Person.

Diese führt aus, was in der Zweiergruppe überlegt wurde bzw. nennt einen Begriff.

Nun hat das Team einen Versuch, den Namen der Person zu nennen, die zur Zweiergruppe gehört, die sich auf diesen Begriff, Rhythmus etc. geeinigt hat.

Falls das nicht gelingt, ist das andere Rate-Team an der Reihe und findet somit eine aussichtsreichere Situation vor, um eine der Zweiergruppen zu identifizieren.

Gelingt dies, darf ein weiterer Vertreter bzw. eine weitere Vertreterin dieses Teams weiterraten.

Die Zweierteams versammeln sich getrennt voneinander, abseits der Rate-Teams.

Gewonnen hat das Rate-Team, das mehr Zweiergruppen erfolgreich identifizieren konnte.

Repetitorium und Zusammenfassung
Stunden-abschlüsse

**Stunden-
schlüsse**
Repetitorium und
Zusammenfassung

Ziel
Rekapitulation der Lerninhalte der vergangenen Stunde

Faktenwette
Punktejagd mit Faktenwissen

Zunächst wird ein Wetteinsatz zwischen Klasse und Lehrkraft vereinbart. Optional kann dieses Spiel mit einer Auswahl von Schülerinnen und Schülern oder der gesamten Klasse gespielt werden.

Nacheinander soll jeder Schüler bzw. jede Schülerin einen Fakt nennen, der im Laufe der letzten Stunde genannt wurde bzw. eine Rolle gespielt hat – z. B. sind auch Feststellungen zu Hörbeispielen erlaubt, die während der Besprechung derselben nicht explizit ausgesprochen wurden, aber sachlich richtig sind. Dabei dürfen bereits erwähnte Fakten nicht wiederholt werden. Nach ausreichend Bedenkzeit wird von 10 abwärts gezählt.

Gelingt es den Schüler*innen nicht, dass jeder bzw. jede einen neuen Fakt nennt, bekommt die Lehrkraft einen Punkt. Umgekehrt gilt natürlich: Die Klasse bekommt den Punkt, wenn es gelingt, dass auch der bzw. die letzte an der Reihe noch einen (neuen) Fakt ergänzen kann.

Am Ende des Schuljahres oder auch Halbjahres ist es Zeit, den Einsatz einzulösen. Wer weniger Punkte hat, hat verloren.

Varianten:
- Nur eine Schülerauswahl tritt die Herausforderung an.
- Es gibt einen Joker, der einmal eingesetzt werden kann.

Ziel

Rekapitulation der Lerninhalte der vergangenen Stunde

Stundenabschlüsse
Repetitorium und Zusammenfassu[ng]

True-or-False

Lügen und Wahrheiten über den Lerninhalt

Die Lehrkraft formuliert zutreffende und nicht-zutreffende Aussagen zum Lernstoff bzw. Stundeninhalt. Die Schülerinnen und Schüler zeigen per Daumenabfrage an, ob sie die jeweilige Aussage für wahr oder falsch halten. Nach drei bis zehn solcher Aussagen folgt die Auflösung. Schülerinnen und Schüler, die richtig geantwortet haben, können den Hintergrund ihrer Antwort erklären.

Stundenschlüsse
Repetitorium und Zusammenfassung

Ziel
Ergebnissicherung

Podcast-Summary

Kernaussagen jeder Stunde werden zu einem Podcast zusammengeführt

Nicht alles, was im Musikunterricht passiert, ist gleich wichtig, – und oft haben Lernende das Problem, ihren Fokus auf Nebensächlichkeiten zu legen, was dazu führt, dass sie wesentliche Zusammenhänge nicht erkennen und zu keinem Gesamtüberblick kommen . Eine transparente Zusammenfassung der wirklich wichtigen Inhalte in Form eines stets verfügbaren Podcast-Formats kann dabei Abhilfe schaffen und ideal zur Prüfungsvorbereitung dienen.

Am Ende jeder Stunde wird gemeinsam zusammengefasst:

- Welches Thema bzw. welche Themen standen in der heutigen Stunde im Mittelpunkt? (Einigung auf maximal drei Begriffe)
- Worin bestanden die wesentlichen Erkenntnisse? (offene Sammlung und Priosierung) Die wichtigsten 5 Punkte schaffen es in den Podcast.

Anschließend sprechen zwei (von Stunde zu Stunde unterschiedliche) Schüler*innen in Interviewform die Ergebnisse dieser Zusammenfassung ein. Sollte in der Stunde zuvor ein großer Themenblock abgeschlossen worden sein, sollte das unbedingt in einer kleinen Moderation am Anfang der Aufnahme erwähnt werden. Die Audiodateien werden von einer Schülerin oder einem Schüler zu einer stetig wachsenden Datei zusammengeführt. Alternativ bietet sich ein Aufnehmen mit der App Bandlab an, hier kann direkt in ein Audiobearbeitungsprogramm aufgenommen werden, das auch einfaches Schneiden ermöglicht – somit fällt der umständliche Datentransfer weg.

Material

- Aufnahmegerät bzw. Smartphone
- ggf. die (gratis) App bzw. Online-Anwendung Bandlab (www.bandlab.com)

Ziel
Reflexion der Stunde, Ergebnissicherung

Stunden-abschlüsse
Repetitorium und Zusammenfassu

Bullet points
Aus individuellen Stichpunkten entsteht ein Gesamtbild

Die Klasse bekommt eine Minute Zeit, in der sich jeder und jede einzelne Schüler*in drei Stichpunkte notieren soll, an die er oder sie sich aus der vergangenen Stunde erinnert. Die Ergebnisse werden anschließend mündlich zusammengetragen und final von der Lehrkraft zusammengefasst.

Stunden-schlüsse
Repetitorium und Zusammenfassung

Ziel
Reflexion der Stunde, Ergebnissicherung

Zeitleiste
Aus individuellen Stichpunkten entsteht ein Gesamtbild

Ein Teil der Klasse wird am Ende der Stunde gebeten, sich als Zeitleiste aufzustellen. Dabei sollen die einzelnen Schülerinnen und Schüler einen (Lern-)Moment ihrer Wahl repräsentieren, der sich in der Stunde ereignet hat – alle Meilensteine, alle wichtigen Ereignisse sollen aufgestellt werden. Das können Inhalte sein oder ein Moment, der in Erinnerung geblieben ist.

Die Schüler*innen bzw. Ereignisse werden in chronologischer Reihenfolge aufgestellt. Wenn gewollt, kann dies auch in Abständen geschehen, die den zeitlichen Ablauf der Stunde auch widerspiegeln. Gegebenenfalls können die Schüler*innen ihr Ereignis auch erklären oder mittels eines Symbols oder Geräuschs präsentieren.

Ziel
Reflexion und Priorisierung der Lerninhalte, Ergebnissicherung

Stundenabschlüsse
Repetitorium und Zusammenfassu

Wandzeitungs-Ausstellung
Informative Plakate erstellen

Wie bei einem wissenschaftlichen Poster erarbeiten die Schülerinnen und Schüler gemeinsam Plakate. Dies kann in Kleingruppen zu jeweils unterschiedlichen Aspekten eines Themas geschehen oder gemeinsam im Plenum. Themenkomplexe sollen gut strukturiert und optisch ansprechend dargestellt werden. Dazu muss zunächst priorisiert werden, welche Punkte, Aussagen und Fakten besonders wichtig sind. Es bietet sich an, direkt unter der Überschrift zunächst mit einem Einleitungssatz zu beginnen, der über den Inhalt des Plakats informiert. Grafiken und Bilder sollten stets mit Bildunterschriften versehen werden.

Tipps:
- Zunächst können Skizzen des Plakats angefertigt werden.
- Quellenangaben machen insbesondere Sinn, wenn das Plakat bzw. die Plakate auch als Grundlage für die Vorbereitung auf Prüfungen dienen sollen.
- Farben sollten im Sinne der Priorisierung mit bedacht eingesetzt werden.

Material
- Papierbögen (mindestens im A3-Format)
- ggf. eine Möglichkeit, Bilder, Diagramme etc. auszudrucken

Stunden-schlüsse
Repetitorium und Zusammenfassung

Ziel
Reflexion der Lerninhalte, Zusammenfassung

Stilles Gruppen-Cluster

Gelerntes wird ohne zu sprechen wiederholt und reflektiert

Es wird ein Flipchart-Papier auf einen Tisch gelegt. Darauf ist in der Mitte ein Begriff zu lesen, zu dem nachgedacht werden soll. Die Schüler*innen bewegen sich im Kreis um den Tisch und ergänzen schriftlich Anmerkungen, Kommentare etc. auf dem Flipchart-Papier in Form eines Clusters.

Dadurch, dass alle Schülerinnen und Schüler immer in Bewegung sind, können sie die neuen Kommentare der anderen sehen und auch darauf reagieren. Sobald keine neuen Wörter mehr auf dem Papier auftauchen, ist das stille Cluster beendet – man kann es stumm dabei belassen oder zur Diskussion stellen.

Material
Papierbögen (mindestens im A3-Format)

Ziel
Reflexion der Lerninhalte, Zusammenfassung

Stunden-abschlüsse
Repetitorium un_
Zusammenfassu_

Stille Diskussion
Gelerntes wird ohne zu sprechen wiederholt und reflektiert

Mehrere Flipchart-Papiere werden im Klassenraum verteilt. Auf jedem dieser Papiere ist eine (andere) Frage zu lesen, die sich auf den vorangegangenen Unterrichtsinhalt bezieht. Die Schülerinnen und Schüler ergänzen jeweils stumm die Plakate, indem sie ihre Gedanken zu den Fragen als Kommentar auf das jeweilige Plakat schreiben. Sie können die ganze Zeit durch den Raum wandern und immer wieder zu den Plakaten zurückkehren, um die Veränderungen zu sehen.

Diese Methode eignet sich gut, um kontroverse Inhalte zu diskutieren, kann aber auch dazu genutzt werden, laufende musikalische Projekte weiterzuentwickeln. Vorteile im Vergleich zu einem Gespräch im Plenum sind die ständige Beteiligung aller Schüler*innen sowie der Zeitgewinn, der durch das parallele bearbeiten mehrerer Fragen entsteht.

Material
Papierbögen (mindestens im A3-Format)

Stunden-schlüsse
Repetitorium und Zusammenfassung

Ziel
Reflexion der Lerninhalte, Zusammenfassung, Motivation, die Stunde aufmerksam zu verfolgen

Vorab-Aufgabe
Präsentation relevanter Unterrichtsinhalte am Ende der Stunde

Alle Schülerinnen und Schüler bekommen zu Beginn der Stunde jeweils ein Kärtchen mit einer spezifischen Aufgabe, die sie im Rahmen der Stunde beachten sollen. Am Ende der Stunde werden die Ergebnisse präsentiert. Kurzum: Die Schüler*innen wissen, auf was sie sich im Stundenverlauf besonders konzentrieren sollen. Ggf. können auch mehrere Schüler*innen dieselbe Aufgabenstellung zugeteilt bekommen.

Beispiele für Aufgaben:
- „Entwickle Bewegungen zu einem Gegenstand / einem Begriff / einem Musikstück (ggf. jeweils auch konkret benannt), das heute Thema war. Die anderen müssen erraten, worum es sich handelt."
- „Stimmt! Stimmt nicht!: Stelle Behauptungen zu einem Thema aus der Stunde auf. Die anderen müssen beantworten, ob die Behauptung wahr oder falsch ist."
- „Ich seh' etwas was du nicht siehst: Beschreibe etwas, das mit dem Thema der Stunde verbunden ist in Bezug auf Farbe, Form usw. Die anderen müssen erraten, worum es sich handelt."
- „Behalte mindestens drei zentrale Fakten zu einem Begriff / einer Persönlichkeit / einem Werk (ggf. jeweils auch konkret benannt) in Erinnerung und nenne sie am Ende der Stunde."

Material
Kärtchen bzw. kleinformatige Papierblätter

Ziel
Reflexion der Lerninhalte, Zusammenfassung, Selbstreflexion

Stunden-abschlüsse
Repetitorium un[d]
Zusammenfassu[ng]

Lern-Tagebuch
Schriftliche Reflexion von Lerninhalten anhand von drei Routine-Fragen

Das Führen eines Lern-Tagebuchs bietet die Möglichkeit, den Lernstoff und den persönlichen Fortschritt zu reflektieren. Dazu können am Ende jeder Stunde beispielsweise die folgenden drei einfachen Fragen schriftlich beantwortet werden – festgehalten in einem kleinen Extra-Heft bzw. Dokument:

- „Was ist dir heute besonders in Erinnerung geblieben?"
- „Was war heute neu für dich?"
- „Bei welchem Thema möchtest du noch mehr wissen oder können?"

Die Tagebücher werden nicht kontrolliert und dienen rein der schriftlichen Reflexion für die Schüler*innen. Die Fragen können natürlich beliebig angepasst werden, wichtig ist es aber, eine Schreibroutine zu entwickeln.

Material
jeweils ein kleines Heft pro Schüler bzw. Schülerin

Stunden-schlüsse
Repetitorium und Zusammenfassung

Ziel
Choreographien und Bewegungsabfolgen sichern

Bewegungsvokabular festigen

Bewegungsabfolgen als Zeichnungen notieren

Wenn in einer Tanz- und Bewegungseinheit neue Bewegungen, Phrasen für Choreographien etc. erarbeitet wurden, macht es Sinn, diese am Ende der Stunde nochmals als Bewegungsvokabular gesammelt zu festigen.

Jeweils eine Schülerin bzw. ein Schüler bekommt die Aufgabe, eine bestimmte Bewegung in Form einer kleinen Zeichnung als Erinnerung zu notieren. Die Person soll der Lerngruppe mithilfe der Zeichnung die Bewegung am Anfang der nächsten Stunde in Erinnerung rufen können.

Stunden-abschlüsse
Repetitorium un
Zusammenfassu

Ziel
Spielerische Reflexion, Motivation, die Stunde aufmerksam zu verfolgen

Checker-Fragen
Multiple-Choice-Quiz zu Unterrichtsinhalten

Zu Beginn der Stunde wird bereits auf drei „Checker-Fragen" hingewiesen, die am Ende der Stunde in einem Multiple-Choice-Quiz beantwortet werden sollen. Gegebenenfalls ist dieses Konzept Schülerinnen und Schülern aus der ARD-Sendung „Checker Tobi" bekannt. Um die richtigen Antworten zu wissen, genügt es, die Stunde aufmerksam mitzuverfolgen. Den Stundenabschluss bildet eine „Buzzer-Runde", in der die Fragen von den Schüler*innen beantwortet werden, die am schnellsten den virtuellen Buzzer drücken. Dabei kann die Online-Anwendung „Multibuzz" zum Einsatz kommen. Die App ermöglicht in Sekundenschnelle die Erstellung eines „Raums", dem die Schüler*innen (ohne Anmeldung) beitreten können. Nun erscheint auf dem Display ein Buzzer und die App dient dazu, festzustellen, wer zuerst gebuzzert hat. Dieses Repetitorium kann ebenso analog (per Aufzeigen) gestaltet werden, auch wenn damit ein wesentliches Element für den Spielspaß, das Buzzern, wegfällt.

Beispiel für die Gestaltung der Fragen:
Was bedeutet „alla breve"?

Antwortmöglichkeiten:
A: Alles wird halb so schnell gespielt.
B: Statt im Puls der Viertelnoten wird nun im Puls der halben Noten gezählt.
C: Alles wird doppelt so schnell gespielt.

Varianten: Schüler*innen können auch einzeln oder in Teams gegeneinander antreten. Durch das Führen von Punktelisten können auch Wettbewerbe über mehrere Wochen oder Monate ausgetragen werden (ggf. auch über mehrere Runden und Qualifikations-hürden bis hin zu einem Finale).

Link zu Multibuzz:
www.multibuzz.app

Material
- jeweils ein Smartphone, Tablet oder PC pro Schüler bzw. Schülerin
- Erstellung eines Raums auf multibuzz.app

Stundenschlüsse
Repetitorium und Zusammenfassung

Ziel
Spielerisches Repetitorium, Festigung von Grundlagenwissen

Musikwissen mit Buzzern
Quiz zu Grundlagenwissen

Die Wiederholung von Grundlagenwissen, etwa über Notenwerte, Intervalle, Akkorde, aber auch die Einordnung von Hörbeispielen in Bezug auf Instrumentierung, Epoche etc., kann am Ende der Musikunterrichtsstunden immer wieder einfließen und in Quiz-Form für Spielspaß sorgen.

Dabei kann die Online-Anwendung „Multibuzz" zum Einsatz kommen. Die App ermöglicht in Sekundenschnelle die Erstellung eines „Raums", dem die Schüler*innen (ohne Anmeldung) beitreten können. Nun erscheint auf dem Display ein Buzzer und die App dient dazu, festzustellen, wer zuerst gebuzzert hat.

Fragen können von der Lehrkraft spontan improvisiert oder auch vorbereitet werden. Anwendungsbeispiele sind:

- Das Anschreiben oder das Projizieren von Notenwerten, Akkorden, Artikulation, Dynamikzeichen, Rhythmen etc.
- Das Vorspielen von Songs oder Werken, die erkannt werden sollen.
- Die Einblendung von Instrumenten, Musikerportraits etc., die identifiziert werden sollen.
- Konkrete Fragen, die auf die Nennung von Fachbegriffen abzielen u. v. m.

Punkte zu zählen und Aufzeichnungen über Tages-, Wochen- und Monatssieger zu führen kann für zusätzliche Motivation und Aufmerksamkeit sorgen.

Material
- jeweils ein Smartphone, Tablet oder PC pro Schüler bzw. Schülerin
- vorab erstelltes Quiz auf multibuzz.app bzw. als Google-Formular oder Ähnliches

Link zu Multibuzz:
www.multibuzz.app

Ziel

Spielerisches Repetitorium, Zusammenfassung, Strukturierung und Priorisierung von Lerninhalten

Stunden-abschlüsse
Repetitorium un
Zusammenfasst

Online-Quiz-Fragebögen

Ein klassisches schriftliches Repetitorium mit Live-Auswertung

Dank neuer Medien können auch klassische Abfrageformate interaktiver und papierlos gestaltet werden. Quizzes und Fragebögen mit Multiple-Choice-Fragen, (Mehrfach-)Kästchen-Auswahl, Drop-Down-Auswahl und Von-Bis-Skalen können mit Gratis-Tools im Handumdrehen erstellt werden. Ein großer Vorteil dabei ist, dass die Auswertung auch live erfolgen kann und direkt als grafische Darstellung verfügbar ist.

Besitzt man ein Android-Gerät und somit auch ein Google-Konto, kann man kostenlos auf das Tool „Google Formulare" zugreifen, um beliebig ausführliche Fragebögen zu erstellen, diese per Link zu teilen und Abstimmungs-Ergebnisse live anzeigen zu lassen. Die Teilnahme an den Umfragen funktioniert plattformübergreifend über jeden Web-Browser. Alternativ stehen auch viele weitere Anwendungen zur Verfügung – wenn auch mit eingeschränktem Funktionsumfang (in der jeweils kostenlosen Variante): Mentimeter und Zenforms (DSVG-Konform) oder Pollie etwa, die jeweils auch als Mobil-App verfügbar sind. Einmal erstellte Quizzes etwa zu einzelnen Lehrplanthemen, können gespeichert werden und immer wieder zum Einsatz kommen.

Link: mentimeter.com/

Link: zenkit.com/de/forms/

Link: forms.google.com

Material
- jeweils ein Smartphone, Tablet oder PC pro Schüler bzw. Schülerin
- vorab erstellte Online Fragebögen
- Beamer

**Stunden-
schlüsse**
Repetitorium und
Zusammenfassung

Ziel
Spielerisches Repetitorium, Zusammenfassung

Wissens-Alphabet
Eine Wörtersammlung zum Thema

Neigt sich die Bearbeitung eines Themas im Unterricht dem Ende zu, bietet es sich an, relevante Begriffe zu sammeln, die mit dem jeweiligen Thema in Zusammenhang stehen. Das können Fachbegriffe, Namen von Komponist*innen oder Künstler*innen sein, aber auch Werktitel oder Instrumentennamen. An der Tafel oder mittels Projektion werden dazu unter der Überschrift des jeweiligen Themas die Buchstaben des Alphabets angeschrieben. Aufgabe ist es, gemeinsam zu jedem Buchstaben mindestens ein Wort zu finden, das mit dem Thema in Zusammenhang steht und mit dem jeweilgien Buchstaben des Alphabets beginnt.

Variante: Jeder Schüler und jede Schülerin macht den Selbstversuch und notiert sich die Worte in Stillarbeit. Die Person, die als erste zu allen Buchstaben ein Wort vorweisen kann, hat gewonnen.

Retro und Feedback
Stundenabschlüsse

Ziel

Reflexion, Verbesserung der Gruppendynamik, gemeinsame Bewertung

Stunden-abschlüsse
Retro und Feedback

Start-Stop-Continue

Kritisches Hinterfragen von Prozessen in drei Kategorien

Wenn es mal so richtig hakt – aber auch am Ende eines Prozesses sowie beim Erreichen von Zwischenstationen – hilft diese Methode dabei, herauszufinden, wie die gemeinsame Arbeit erleichtert und effektiver gestaltet werden kann. Zudem schafft diese Methode Orientierung, sodass klarer wird, wohin die gemeinsame Reise gehen kann oder soll.

Im Musikunterricht können verschiedene Prozesse, wie die Bearbeitung offener Kompositionsaufgaben in der Gruppe, die Umsetzung von Projekten mit der Klasse, gemeinsames Songwriting oder auch der Musikunterricht an sich anhand dieser Methode reflektiert werden.

Umsetzung

Auf den drei Teilen der Tafel wird rechts „Start", links „Stop" und und der Mitte „Continue" angeschrieben.

„**Start**" – **Was sollten wir beginnen zu tun?:** Die Schülerinnen und Schüler sollen hier Verhaltensweisen, Aktivitäten und Ideen notieren, die ihrer Ansicht nach noch nicht bzw. nicht ausreichend im Prozess zur Geltung kommen.

„**Stop**„ – **Was sollten wir aufhören zu tun?:** Die Schülerinnen und Schüler sollen hier Verhaltensweisen, Aktivitäten und Ideen notieren, die ihrer Ansicht nach dringend nicht mehr Teil des Prozesses sein sollten.

„**Continue**" – **Was sollten wir beibehalten?:** Die Schülerinnen und Schüler sollen hier notieren, welche Verhaltensweisen, Aktivitäten und Ideen bislang am meisten dazu beigetragen haben, das Ziel zu erreichen, und unbedingt weiterhin beachtet werden sollten.

In einer gemeinsamen Auswertung können besonders starke Meinungsverschiedenheiten thematisiert werden, gegebenenfalls kann die Auflistung angepasst werden.

Stunden-abschlüsse
Retro und Feedback

Ziel
Reflexion, Verbesserung der Gruppendynamik, gemeinsame Bewertung

Segelboot
Kritisches Hinterfragen von Prozessen als Metapher

Bei Gruppenarbeitsphasen und Projekten mit der ganzen Klasse kann diese Methode dazu dienen, Klarheit über gemeinsame Ziele, Hürden und vieles mehr zu schaffen. Darüber hinaus kann ggf. auch der Unterricht an sich reflektiert werden.

Umsetzung
Auf der Tafel oder einem Flipchart wird ein Segelboot mit einem Anker an Bord aufgezeichnet. Die Schülerinnen und Schüler sollen nun zu unterschiedlichen Fragen Post-its (bestenfalls in unterschiedlichen Farben) an der Tafel bzw. am Flipchart an den entsprechenden Stellen anbringen.

Drei zentrale Fragen:
- Welche Inhalte, Ideen oder Motivationen, Personen, Verhaltensweisen etc. sind unser Fahrtwind?
- … welche sind unser Anker?
- … welche könnten uns zum Kentern bringen?

Gegebenenfalls bieten sich folgende weitere Fragen an:
- Wohin genau reisen wir?
- Gibt es Gefahren auf dem Weg? Wenn ja, welche?
- Gibt es sichere Häfen, die angesteuert werden können?
- Was bremst uns?

Ziel
Gemeinsame Bewertung, kritische Reflexion

Stundenabschlüsse
Retro und Feedback

Rollenkarten
Offener Meinungsaustausch im Rollenspiel

Um bei einer gemeinsamen Reflexion und Bewertung die persönliche Ebene klar von der sachlichen zu trennen, kann es helfen, Schülerinnen und Schülern vordefinierte Rollen zuzuweisen, die sie bei der Bewertung zum Abschluss der Stunde nicht verlassen sollen. Karten, auf denen die jeweilige Rolle genannt und ggf. näher beschrieben wird, können bereits zu Beginn der Stunde ausgeteilt werden.

Beispiel
Jeweils eine Person oder Gruppe erhält die Rollenkarte „Skeptiker bzw. Skeptikerin", eine andere die mit der Aufschrift „Chancenseher bzw. Chancenseherin". Am Ende der Stunde soll das Unterrichtsgeschehen bzw. die Zusammenarbeit der Schüler*innen skeptisch bzw. optimistisch bewertet werden. Dabei sollen ausschließlich den Rollenkarten entsprechende Punkte genannt werden.

Weitere Möglichkeiten wären Karten mit Aufschriften wie „Pragmatiker bzw. Pragmatikerin", „Freigeist" oder „Manager bzw. Managerin".

Material
Rollenkarten

Stunden-abschlüsse
Retro und Feedback

Ziel
Schnelle Rückmeldung für die Lehrkraft

Daumen-Abfrage
Reflexion der Stunde aus dem Bauch heraus

Die Lehrkraft stellt Fragen zur Unterrichtsstunde, die die Schülerinnen und Schüler per Handzeichen (Daumen hoch, runter bzw. zur Seite) beantworten. Zum Beispiel:

- „Die heutige Stunde hat mir gut gefallen."
- „Ich habe heute etwas Neues gelernt."
- „Ich kann seit heute etwas, das ich vorher noch nicht konnte."
- „Ich hatte heute Spaß."
- „Das, was wir heute gemacht haben, wird mir auch in Zukunft noch einmal helfen."
- usw.

Ziel
Gemeinsame Bewertung, kritische Reflexion

Stundenabschlüsse
Retro und Feedback

Zielscheibe
Einordnung der Stunde mit vier Koordinaten

Die Feedback-Zielscheibe ermöglicht die Einordnung der Stunde in vier Parametern. Sie kann aufgezeichnet oder projiziert werden. Die Schülerinnen und Schüler werden aufgefordert, mit jeweils einem Klebepunkt, den sie auf der Zielscheibe anbringen, anzugeben, wo sie sich momentan einordnen würden. So entsteht ein Gesamtbild, das der Lehrkraft und den Schüler*innen hilft, den aktuellen Stand besser einzuordnen. Damit die Umsetzung reibungslos gelingt, sollten auf der Zielscheibe jeweils gegenüberliegend entgegengesetzte Aussagen stehen. Dabei bietet sich an, jeweils ein Gegensatzpaar zum Befinden und eines zum Lerninhalt abzufragen.

Nach einer Stunde mit Bodypercussion könnte die Zielscheibe etwa so beschriftet werden:

- „Die Stunde hat mir Spaß gemacht." -> „Die Stunde war langweilig."
- „Ich kann alle Bodypercussion-Pattern auswendig." -> „Wie ging nochmal der Grundrhythmus?"

Nach einer Stunde mit wissensbezogeneren Inhalten wäre ein Gestaltung der Zielscheibe mit folgenden Aussagen denkbar.

- „Ich habe alles verstanden." -> „Ich kenne mich gerade gar nicht aus."
- „Ich finde das, was wir gelernt haben, mega interessant." -> „Ich kann mit dem, was wir gelernt haben, gar nichts anfangen."

Stunden-abschlüsse
Retro und Feedback

Varianten:

- Die Abfrage kann nonverbal erfolgen (mit Klebepunkten bzw. über Einzeichnung auf der Tafel / dem Flipchart oder in einem kollaborativen Online-Dokument) und unkommentiert bleiben.
- Das Gesamtergebnis kann gemeinsam in einem Gespräch ausgewertet werden.
- Die Einordnung kann (vor allem in kleineren Gruppen) auch von jedem Schüler und jeder Schülerin verbalisiert werden.

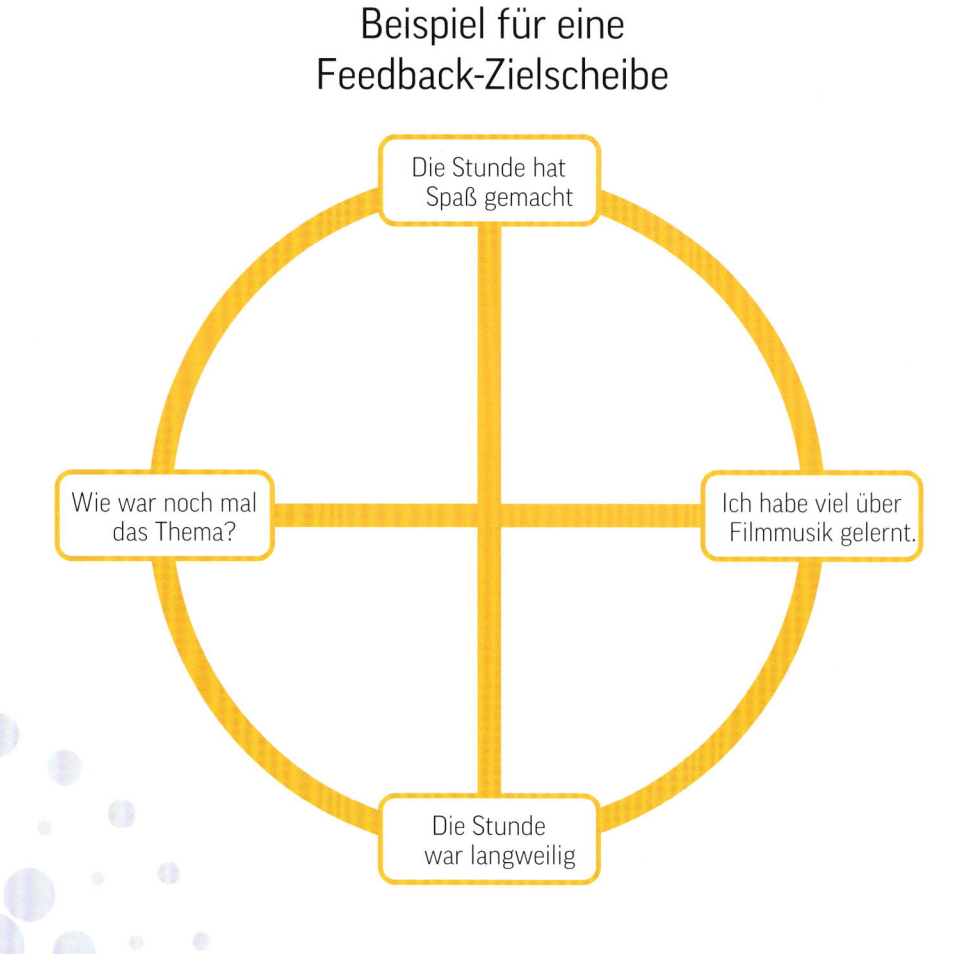

Beispiel für eine Feedback-Zielscheibe

- Die Stunde hat Spaß gemacht
- Wie war noch mal das Thema?
- Ich habe viel über Filmmusik gelernt.
- Die Stunde war langweilig

Ziel
Schnelle Rückmeldung für die Lehrkraft

Stundenabschlüsse
Retro und Feedback

Ein-Wort-Check-out
Stichworte zur Reflexion der Stunde

Eine Check-out-Runde eignet sich gut, um einen gemeinsamen Abschluss zu finden, ein Résumé zu ziehen oder Stimmungen wahrzunehmen. Je größer die Gruppe, desto größer ist jedoch auch die Gefahr, dass diese Abschlussrunde zu viel Zeit in Anspruch nimmt und sich möglicherweise sogar in Diskussionen verliert. Um die Check-out-Runden knapp zu halten, können konkrete Input-Fragen und das Aufstellen von Spielregeln helfen.

Beispiele können sein: „Nenne ein Wort, das die heutige Stunde zusammenfasst." „Mit welcher Farbe beschreibst du deine momentane Stimmung?" „Was war heute mein größtes Learning?" „Welche Veränderung habe ich heute bei meinem Musizieren erfahren?" etc.

Vorab kann festgelegt werden, ob die Antwort jeweils mit einem Wort, einem Satz, zwei Wörtern oder einem beliebig langen Statement erfolgen soll.

Stunden-abschlüsse
Retro und Feedback

Ziel
Gemeinsame Bewertung, kritische Reflexion

Stilles Retro-Gruppen-Cluster

Die Stunde wird ohne zu sprechen wiederholt und reflektiert

Es wird ein Flipchart-Papier auf einen Tisch gelegt. Darauf ist in der Mitte eine Frage zur Stunde, zum persönlichen Befinden oder zu Lerninhalten zu lesen, über die nachgedacht werden soll. Die Schüler*innen bewegen sich im Kreis um den Tisch und ergänzen schriftlich Anmerkungen, Kommentare etc. auf dem Flipchart-Papier in Form eines Clusters.

Dadurch, dass alle Schülerinnen und Schüler immer in Bewegung sind, können sie die neuen Kommentare der anderen sehen und auch darauf reagieren. Sobald keine neuen Wörter mehr auf dem Papier auftauchen, ist das stille Cluster beendet – man kann es stumm dabei belassen oder zur Diskussion stellen.

Variante: Es werden mehrere Papierbögen, auf denen unterschiedliche Impulse zu lesen sind, im Klassenraum verteilt auf Tische gelegt.

Material
Papierbögen (mindestens im A3-Format)

Ziel
Gemeinsame Bewertung, kritische Reflexion

Stunden-abschlüsse
Retro und Feedback

Positivity-Post-its
Stärkende Nachrichten vor einer Aufführung

Manchmal sind bei Feedback-Runden kritische Rückmeldungen gefragt und manchmal einfach nur lobende Worte: Gerade bei der Präsentation von eigenen Kompositionen oder nach Generalproben für Konzerte, können stärkende Rückmeldungen mittels Positivity-Post-its gegeben werden. Dafür schreiben die Schüler*innen jeweils eine stärkende Nachrichte auf ein Post-it und kleben dieses den Vorführenden auf den Rücken. Gegebenenfalls kann ein kurzer Input gegeben dazu gegeben werden, was die Schüler*innen auf die Post-its schreiben können: Das hat mir am besten gefallen – Davon möchte ich mehr sehen – Das ist mir besonders in Erinnerung geblieben. Anschließend können sich die Aufführenden die Nachrichten auf ihrem Rücken von ein anderen Person laut vorlesen lassen.

Material
Post-its

Stunden-abschlüsse
Retro und Feedback

Ziel
Individuelle Bewertung, kritische Reflexion

Fragebogen

Schüler*innen evaluieren den Unterricht anhand eines Fragenkatalogs

Ein klassisches Format für Feedbacks, Evaluationen und Retrospektiven ist der Fragebogen. Dabei sind der Fantasie keine Grenzen gesetzt, wenn es um die Erstellung der Fragen geht („Ein Thema, das mich besonders interessieren würde, ist …" „Ich fühle mich im Unterricht am wenigsten wohl, wenn …" „Ich bewerte mein Engagement im Unterricht auf einer Skala von sehr groß bis kaum vorhanden …" „Am interessantesten fand ich in diesem Halbjahr das Thema …"). Generell gilt aber: Es sollten zwei wesentliche Eckpfeiler berücksichtigt werden. Einerseits sollte darauf geachtet werden, dass die Schülerinnen und Schüler erleben, dass ihre Antworten wahrgenommen werden. Andererseits sollten konkrete Handlungsperspektiven abgeleitet und umgesetzt werden.

Natürlich kann der Fragebogen ganz klassisch in Papierform erstellt und ausgefüllt werden. Dank neuer Medien kann das Vorgehen aber auch interaktiver und papierlos gestaltet werden. Fragebögen mit Multiple-Choice-Fragen, (Mehrfach-)Kästchen-Auswahl, Drop-Down-Auswahl und Von-Bis-Skalen können mit Gratis-Tools im Handumdrehen erstellt werden. Ein großer Vorteil dabei ist, dass die Auswertung auch live erfolgen kann und direkt als grafische Darstellung verfügbar ist.

Stundenabschlüsse
Retro und Feedback

Besitzt man ein Android-Gerät und somit auch ein Google-Konto, kann man kostenlos auf das Tool „Google Formulare" zugreifen, um beliebig ausführliche Fragebögen zu erstellen, per Link zu teilen und Abstimmungs-Ergebnisse live anzeigen zu lassen. Die Teilnahme an den Umfragen funktioniert plattformübergreifend über jeden Web-Browser. Alternativ stehen viele weitere Tools zur Verfügung – wenn auch mit eingeschränktem Funktionsumfang (in der jeweils kostenlosen Variante): Mentimeter und Zenforms (DSVG-Konform) oder Pollie etwa, die jeweils auch als Mobil-App verfügbar sind. Einmal erstellte Fragebögen können gespeichert werden und immer wieder zum Einsatz kommen.

Material

- jeweils ein Smartphone, Tablet oder PC pro Schüler bzw. Schülerin
- vorab erstellte Online Fragebögen
- Beamer

Link: forms.google.com

Link: zenkit.com/de/forms/

Link: mentimeter.com/

Stunden-abschlüsse
Retro und Feedback

Ziel
Schnelle Rückmeldung für die Lehrkraft, kritische Reflexion

Drei-Wort-Sandwich

Schüler*innen evaluieren den Unterricht anhand eines Fragenkatalogs

Eine klassische Form des Feedbacks besteht aus der Nennung mehrer Punkte, wobei negatives Feedback von der Nennung zweier positiver Punkte umrahmt wird. Unangekündigt wirkt diese Methode nicht unbedingt konstruktiv, weil sie oft durchschaut und möglicherweise als unauthentisch wahrgenommen wird. Es spricht aber nichts dagegen, sie transparent zu machen und sportlich zu nehmen.

Die Schülerinnen und Schüler können aufgefordert werden, drei Worte, Begriffe bzw. kurze Phrasen zu formulieren und diese reihum zu nennen. Ausgangspunkt können die folgenden drei Impulse sein:

- Toll fand ich …
- Nicht so toll fand ich …
- Gefallen hat mir …

Ziel

Schnelle Rückmeldung für die Lehrkraft, kritische Reflexion

Stunden-
abschlüsse
Retro und Feedback

Retro-Karten

Schüler*innen wählen einen Impuls als Ausgangspunkt für ihre Statements

Eine Auswahl an Karten bzw. Satzanfängen, die von der Lehrkraft bereitgestellt werden, dienen als Impulse, um Feedbacks zu bekommen bzw. die Stunde retrospektiv zu betrachten. Jeder Schüler und jede Schülerin wählt jeweils einen Impuls aus und vervollständigt ihn zu einem Statement. Der große Vorteil dieser Methode ist, dass nicht immer alle Karten bzw. Satzanfänge auf die jeweilige Stunde anwendbar sein müssen. Sollten Satzanfänge gerade nicht passend eingesetzt werden können, lässt man diese einfach liegen. Es ist erlaubt, dass mehrere Schüler*innen den gleichen Satzanfang bzw. die gleiche Karte als Impuls für ihr Statement wählen.

Die folgende Kopiervorlage kann auf A4 vergrößert werden. Ebenso ist eine Umsetzung möglich, bei der die Satzanfänge in digitaler Form eingeblendet werden.

Material (optional):

ausgedruckte Karten

Stunden-abschlüsse
Retro und Feedback

Kopiervorlage: Retro-Karten

Gut gefallen hat mir …	**Schwer fällt mir noch …**
Mich hat überrascht, dass …	**Ich habe gelernt, dass …**
Besonders gut funktioniert hat …	**Gefreut hat mich, dass …**
Ich war enttäuscht von …	**Ich bin (un-)zufrieden, weil …**

Stunden-abschlüsse
Retro und Feedback

Kopiervorlage: Retro-Karten

Ich finde es wichtig, dass …	**Besser machen könnten wir …**
Ich hoffe, dass …	**Am meisten gebracht hat mir …**
Gut lief …	**Schlecht lief …**
Herausfordernd war …	**(Zu) Leicht war …**

Aufführung und Präsentation
Stundenabschlüsse

Ziel
Aufmerksamkeit schaffen

Stunden-
abschlüsse
Aufführung und Präsentation

Vor der Abschlussperformance – Vorhang auf!

Mit einem Ritual Aufmerksamkeit für die Aufführung schaffen

Als Einstimmungsritual vor einer Aufführung oder einer Präsentation von Szenen, Choreografien etc. bietet es sich in niedrigeren Klassenstufen an, mit einem Ritual für Aufmerksamkeit zu sorgen und für die Aufführenden einen klaren Beginn der Stille vor ihrer Performance zu markieren. Das „Vorhang auf"-Ritual kann aus einer einfachen Bodypercussion-Abfolge bestehen, zu der die Silben „Vor-" „-hang" „auf" gesprochen werden (z. B. Oberschenkel-Oberschenkel-Klatsch). Natürlich können auch komplexere Varianten umgesetzt werden, die im besten Fall von Schülerinnen oder Schülern vorgeschlagen werden. Im Vorhinein kann auch vereinbart werden, wann der Abschlussapplaus erklingen soll.

Stunden-abschlüsse
Aufführung und Präsentation

Ziel
Ergebnissicherung, Motivation aufrecht erhalten

Work in Progress
Projektausschnitte und Fortschritte präsentieren

Bei der Einstudierung eines Stücks über mehrere Musikunterrichtsstunden sowie bei der Bearbeitung von größeren Unterrichtsprojekten kann das Ende der einzelnen Stunden ein abruptes Ende mitten im Prozess bedeuten. Gerade bei Gruppenarbeiten, aber auch bei Einstudierungen mit der ganzen Klasse, bietet sich an, nicht nur nach dem Motto „das nächste Mal machen wir weiter" zu agieren und auf die Aufführung eines kompletten Stücks bzw. die Präsentation eines fertigen Projektes hinzuarbeiten. Den Fortschritt der jeweiligen Stunde sichtbar zu machen, kann helfen, die Motivation aufrechtzuerhalten und trägt zur nachhaltigen Ergebnissicherung bei.

Varianten:

- Ein Schüler oder eine Schülerin (ggf. aus jeder Gruppe) soll in einem Zeitrahmen von maximal drei Minuten berichten, welche Fortschritte in der heutigen Stunde gemacht wurden bzw. welche Probleme aufgetreten sind.

- Ein Schüler oder eine Schülerin (ggf. aus jeder Gruppe) soll in einem Zeitrahmen von maximal einer Minute über ein Highlight berichten, das heute erreicht wurde.

- Ein Ausschnitt des Stücks wird unter performativen Gesichtspunkten aufgeführt bzw. ein Zwischenziel der Projektarbeit wird präsentiert.

Ziel
Genaues Hinhören, in der Gruppe ankommen

Stundenabschlüsse
Aufführung und Präsentation

Konzert „on demand"
Musik genießen zum Stundenabschluss

Aktives Hören und Musizieren fest im Musikunterricht zu verankern ist zweifellos sinnvoll. Die Option, zum Stundenabschluss regelmäßig ein Konzert von Mitschüler*innen, der Lehrkraft oder in Form von Ausschnitten aus Live-Videos zu erleben, kann gerade nach theorielastigen Stunden Ausgleich schaffen.

Varianten:
- Ein Schüler oder eine Schülerin spielt ein Stück vor, das er oder sie gerade im Instrumentalunterricht erlernt bzw. möglicherweise selbst mit Musiksoftware oder Apps produziert hat.
- Die Lehrkraft spielt ein Stück vor.
- Es wird ein Lieblingsstück oder Song gemeinsam musiziert.
- Es werden die letzten fünf Minuten der Stunde dafür verwendet, Videos von Konzerten anzusehen, dabei werden neue Höreindrücke gesammelt. Die YouTube-Kanäle ARTE Concert (breites Angebot) und Medici.tv (Klassik und Jazz) eignen sich gut, um aktuelle Künstler und Musikfestivals kennenzulernen und mitzuverfolgen.

Link:
youtube.com/@medicitv
Medici TV (YouTube)

Link:
youtube.com/@arteconcert
ARTE Concert (YouTube)

Lugert Verlag • Stundenabschlüsse

Stunden-abschlüsse
Aufführung und Präsentation

Ziel
Ergebnissicherung, Konzentration fördern, Arbeitsroutinen festigen

(General-)Probe mit Aufzeichnung
Ein Abschluss, der Arbeitsroutinen festigt

Jede Liederarbeitung, jedes Instrumentalspiel, jede Szene und jeder Tanz finden ihren Schlusspunkt in einem Durchlauf, auch wenn dieser am Ende einzelner Stunden möglicherweise nicht zur Gänze umsetzbar sein sollte. Eine gewisse Routine zu entwickeln, sodass abschließend gesammelte Konzentration entsteht und alles so gut wie möglich „fehlerfrei" zu singen, zu spielen oder zu tanzen, ist das Ziel dieser Übung.

Einen zusätzlichen Motivationsschub (insbesondere auch im Sinne der Disziplin) bringt das „Konservieren", also das Aufzeichnen der Ergebnisse auf Video oder Audio.

Ziel
Ergebnissicherung, Auftrittserfahrung sammeln

Stundenabschlüsse
Aufführung und Präsentation

Konzert für Spontan-Gäste

Ein Kurzauftritt vor Kolleg*innen, Personal oder Parallelklassen

Auch wenn ein Kurzauftritt im Klassenraum vor geladenen Gästen sicher nicht als regelmäßiger Stundenabschluss sinnvoll und umsetzbar ist – diese Möglichkeit vereinzelt wahrzunehmen, bringt großen Mehrwert. Mit entsprechender Absprache im Voraus werden Gäste – wie etwa Parallelklassen, Schulpersonal oder Lehrkräfte – zu den letzten Minuten des Unterrichts eingeladen, um die Aufführung eines Songs, eines Instrumentalstücks, einer Szene oder eine Choreopgraphie mitzuerleben. Dabei verlangen sich die Schülerinnen und Schüler nicht nur ganz von selbst zusätzliche Konzentration und Disziplin ab, auch der Austausch mit dem Kollegium und die Wertschätzung durch das Schulpersonal profitieren davon.

Stundenabschlüsse
Aufführung und Präsentation

Ziel
Ergebnissicherung, unterschiedliche Lerntypen ansprechen

Multimediale Präsentationen
Unterschiedliche Präsentationsformate zu einem Themenbereich

Auch wenn dieses Format nur mit entsprechender Vorarbeit umsetzbar ist, ein besonders eindrücklicher Studenabschluss mit umfassender Ergebnissicherung ist mit dem Rückgriff auf unterschiedliche Präsentationsformate garantiert. In der vorangegangenen Unterrichtsstunde (ggf. auch über mehrere Einheiten) wird dazu ein Thema von mehreren Gruppen, vornehmlich mit Blick auf ein vereinbartes Präsentationsformat, erarbeitet. Ziel ist es, eine jeweils zwei Minuten lange Präsentation zu erarbeiten. Im Idealfall gelingt eine eindrückliche, bunte und mitunter überraschende Ausstellung der Resultate mit hohem Erkenntnisgewinn. Vorgegeben wird lediglich ein Themenbereich sowie ggf. Materialien oder Recherchequellen dazu sowie eine Auswahl an Formaten. Dabei müssen nicht alle Formate zum Einsatz kommen. Vier unterschiedliche Präsentationsformen garantieren bereits reichhaltigen Input.

Beispiel:

Thema: Ludwig van Beethoven – Biographie, kompositorisches Schaffen, Epoche

Formate: Auftritt mit Instrumenten, Szenische Darstellung, Choreographie, PowerPoint-Präsentation, Podcast, Moodboard, multimediale Online-Pinnwand, Quiz, mündlicher Vortrag, Plakat etc.

Ziel
Aktives Hören, kreative Transformation, Reflexion

Stundenabschlüsse
Aufführung und Präsentation

Hör-Landkarten
Grafische Interpretationen zu Musik

Während des Hörens eines Musikstücks werden die Schülerinnen und Schüler gebeten, gedanklich „Anker" zu setzen. Das können z. B. musikalische Momente sein, die sie besonders spannend oder auch unangenehm empfinden – auf jeden Fall sollen es Momente sein, die ihnen in Erinnerung bleiben. Zum Stundenabschluss sollen sie eine Landkarte des Gehörten zeichnen: Wie sieht die Landschaft aus? Wo und in welcher Form kommen die Anker-Momente darin vor? In dieser Übung gehen die Schüler*innen nochmals das Stück im Geiste durch, ordnen es in ihrem ganz eigenen Schema und können ggf. auf freiwilliger Basis ihre Hörlandkarten präsentieren und erklären oder unkommentiert in der Klasse ausstellen und betrachten.

Cool-down
Stunden-abschlüsse

Ziel
Entspannung, Ergebnissicherung

Stunden-abschlüsse
Cool-down

Nach dem Klassenmusizieren: Die Melodie mit nach Hause nehmen
Melodien gedanklich wiederholen

Nach dem gemeinsamen Singen oder Musizieren werden die Schülerinnen und Schüler gebeten, die Augen zu schließen und die erlebte Musik nochmals im Kopf durchzuspielen, ohne ein Geräusch von sich zu geben. Sie können dabei die Melodien, an die sie sich erinnern, gedanklich so lange wiederholen, bis die Lehrkraft die Phase beendet. Das dient nicht nur der Entspannung, sondern auch der Einstudierung.

Stundenabschlüsse — Cool-down

Ziel
Entspannung, Aktivierung

Nach der szenischen Interpretation: Ausschütteln

Die Rolle wird „abgeschüttelt"

Nach (musik-)theaterpädagogischen Unterrichtsphasen, in denen z. B., wie in der szenischen Interpretation, das Einfühlen in Opernfiguren im Mittelpunkt stand, bietet es sich an, ein Ritual zu etablieren, in dem die Rolle wieder „abgeschüttelt" wird. Grundsätzlich ist Schütteln zur Lockerung und Aktivierung für den Körper sinnvoll. Falls die Schüler*innen noch nicht viel Erfahrung im Ausschütteln haben, lässt sich langsam beginnen – zunächst leitet man an, das rechte Handgelenk zu schütteln, dann den Unterarm, dann die Schulter. Nach einem Seitenwechsel kann man auf die Knie übergehen und so den ganzen Körper ins Schwingen bringen.

Ziel

Entspannung, Beruhigung, Körperbewusstsein stärken

Stundenabschlüsse
Cool-down

Nach dem Tanzen: Dehnen und Massage mit Bällen

Cool-down für den Körper

Am Ende einer Tanz- oder Bewegungseinheit ist eine Cool-down-Einheit für den Körper sinnvoll. Dabei geht es neben der Beruhigung von Puls und Atem darum, mit dem eigenen Körper in Kontakt zu kommen. Neben klassischen Dehnübungen macht es Sinn, sich in Klassenstärke Massagebälle oder Bälle mit Noppen zu organisieren. So können alle Schüler*innen, beginnend mit einer Massage der Fußsohlen, ihren Körper massieren und so zur Ruhe kommen.

Material:

Klassensatz Massagebälle oder Entsprechendes

Stundenabschlüsse – Cool-down

Ziel
Entspannung, Rhythmen erfassen und wiedergeben

Stille Rhythmuspost
Rhythmen am eigenen Rücken wahrnehmen

Ein Schüler oder eine Schülerin darf einen kurzen Rhythmus erfinden und klopft diesen sanft auf den Rücken des Sitznachbarn bzw. der Sitznachbarin. Dieser bzw. diese muss den Rhythmus auf dieselbe Weise weitergeben. Nachdem alle den Rhythmus weitergeben haben, klatscht die letzte Person (ggf. die Lehrkraft) den Rhythmus laut vor, um gemeinsam mit dem Erfinder oder der Erfinderin des Rhythmus zu überprüfen, ob der richtige Rhythmus angekommen ist.

Variante: Mehrere Rhythmen werden – ggf. auch in unterschiedliche Richtungen – auf die Reise geschickt.

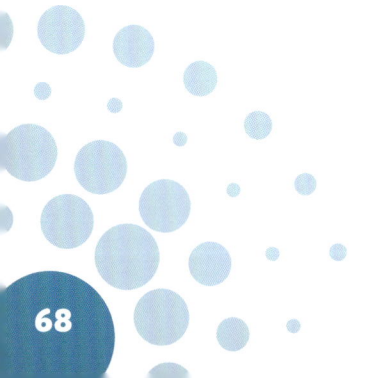

Ziel

Entspannung, Verbesserung der Körperwahrnemung

Stunden-abschlüsse
Cool-down

4-6-8-Atmen

Gemeinsame Atemübung mit mit geschlossenen Augen

Auch etablierte Entspannungs- und Atemübungen können im Musikunterricht Platz finden. Bei dieser Übung werden die Schüler*innen aufgefordert, die Augen zu schließen und in ihrem eigenen Tempo während des Einatmens bis vier zu zählen, dann die Luft anzuhalten und (neu beginnend) im selben Tempo bis sechs zu zählen. Das Ausatmen soll gleichmäßig und kontrolliert über 8 Zählzeiten erfolgen, bevor wieder von vorne begonnen wird. Sinnvoll ist, diese Übung mindestens dreimal zu wiederholen.

Stunden-abschlüsse Cool-down

Ziel
Konzentrationsfähigkeit schulen, aktives Hören, Geschicklichkeit

Kostbare Stille
Geräuschloses Herumreichen eines Gegenstands oder Instruments

Die Schülerinnen und Schüler bilden einen Kreis. Nun soll ein schnell ansprechendes Instrument, wie etwa eine Rassel, ein Schellenkranz oder eine Cabasa einmal reihum so weitergegeben werden, dass dabei kein Ton bzw. Geräusch zu hören ist. Hat man kein entsprechendes Instrument zur Hand, kann auch auf Gegenstände wie ein zerknülltes Blatt Papier oder einen Schlüsselbund zurückgegriffen werden. Ist ein Geräusch zu hören, muss der Gegenstand bzw. das Instrument zunächst der Person zurückgegeben werden, die zuletzt den Gegenstand geräuschlos entgegengenommen hat und ein neuer Versuch unternommen werden.

Material:
Rassel, Cabasa, Schellenkranz, Papier, Schlüsselbund oder Entsprechendes

Weiterführende Literatur

Andersen, Alexandra: Achtsamkeit im Unterricht – Konzentration, Entspannung und Wahrnehmung trainieren. Cornelsen, 2020.

Rohnstock, Dagmar; Siebers-Koch, Cordula: Mit Mediation das Klassenklima verbessern – Übungen, Leitfäden und Ausbildungskonzepte für eine neue Schulkultur. Cornelsen, 2021.

Buhren, Claus G.: Handbuch Feedback in der Schule. Beltz, 2015

Fromm, Michael: 50 Rhythmusspiele für offene Formen im Musikunterricht Musikunterricht konkret, 2017.

Reich, Kersten: Systemisch-konstruktivistische Pädagogik. Beltz Verlag, 2010.

Renoldner, Christa u. a.: Einfach systemisch! Systemische Grundlagen und Methodenfür Ihre pädagogische Arbeit. Ökotopia Edition, 2007.

Fox, Hannah: Zoomy, zoomy. Improv Games and exercises for groups. Tusitala Publishing, 2010.

Register

Rituale und Spiele	musik-praktisch	Hören	Rhythmus erfassen/ wiedergeben	Reflexion	Gruppengefüge stärken	Seitenzahl
Album der Woche		√				09
Aufräum-Song		√				10
Dirigieren	√			√	√	11
Stomp	√		√			12
Becher-Percussion	√		√			13
Bodypercussion-Challenge	√		√		√	14
Call-and-Call-Stuhlpercussion	√		√			15
Beat der Woche	√		√			16
Das verbotene Pattern	√		√		√	18
Der Akkord der Woche	√			√		19
Die musikalische Entdeckung der Woche		√		√		20
Musikrichtung der Woch		√		√		21
Hör-Bingo		√	√		√	22
Human-Memory					√	23

Register

Repetitorium und Zusammenfassung	musik-praktisch	Hören	Rhythmus erfassen/ wiedergeben	Reflexion	Gruppen-gefüge stärken	Seitenzahl
Faktenwette				√	√	25
True-or-False-Repetiorium				√		26
Podcast-Summary				√	√	27
Bulletpoints				√		28
Zeitleiste				√		29
Wandzeitungs-Ausstellung				√		30
Stilles Gruppencluster				√	√	31
Stille Diskussion				√	√	32
Vorab-Aufgabe				√		33
Lern-Tagebuch				√		34
Nach dem Tanzen: Bewegungsvokabular festigen				√		35
Checker-Fragen				√	√	36
Musikwissen mit Buzzern				√	√	37
Online-Quiz-Frageböena				√	√	38
Wissens-Alphabet				√	√	39

Register

Retro und Feedback

	musik-praktisch	Hören	Rhythmus erfassen/ wiedergeben	Reflexion	Gruppen-gefüge stärken	Seitenzahl
Start-Stop-Continue				√	√	41
Segelboot-Retro				√	√	42
Retro mit Rollenkarten				√	√	43
Daumen-Abfrage				√	√	44
Feedback-Zielscheibe				√	√	45
Ein-Wort-Check-out				√	√	47
Stilles Retro-Gruppencluster				√	√	48
Positivity-Post-its				√	√	49
Fragebogen				√		50
Drei-Wort-Feedback-Sandwich				√	√	52
Retro-Karten-Auswahl				√	√	53

Aufführung und Präsentation

	musik-praktisch	Hören	Rhythmus erfassen/ wiedergeben	Reflexion	Gruppen-gefüge stärken	Seitenzahl
Vor der Abschluss-performance – Vorhang auf!	√		√		√	57
Work in Progress	√			√	√	58
Konzert „on demand"	√	√				59
(General-)Probe mit Aufzeichnung	√				√	60
Konzert für Spontan-Gäste	√				√	61
Multimediale Präsentatione	√	√		√	√	62
Hörlandkarten		√		√		63

Register

Cool-down

	musik-praktisch	Hören	Rhythmus erfassen/ wiedergeben	Reflexion	Gruppen-gefüge stärken	Seitenzahl
Nach dem Klassenmusizieren: Die Melodie mit nach Hause nehmen		√		√		**65**
Nach der Szenischen Interpretation: Ausschütteln						**66**
Nach dem Tanzen: Dehnen und Massage mit Bällen						**67**
Stille Rhythmuspost	√		√			**68**
4-6-8-Atmen						**69**
Kostbare Stille		√				**70**

Lugert Verlag • Stundenabschlüsse

Alle Stundenabschlüsse sind praxiserprobt. Sie stammen aus der Unterrichtspraxis von David Mautz, Priska Seidl, Jan Golubkow, Michael Fromm, Daniel Hofstätter und Katrin Bock. Alle Autor*innen unterrichten in Deutschland und Österreich an verschiedenen Schulen und Universitäten.

© 2023 Lugert Verlag, Handorf

Das Werk und seine Teile sind urheberrechtlich geschützt. Jede Nutzung in anderen als den gesetzlich zugelassenen Fällen bedarf der vorherigen schriftlichen Einwilligung des Verlags.

Redaktion: Daniel Hofstätter

Artdirection: Andrea Ludszeweit

Grafik: Elbstrom Medien

Bildnachweis: GettyImages/Mesut Ugurlu

Korrektorat: Katharina Zwilling

Autor*innen:

DMau: S. 9, 10, 12 , 13, 15, 16, 19, 20, 21, 36, 37, 44, 45, 53, 58, 59

PSei: S. 29, 31, 32, 33, 34, 35, 47, 48, 49, 57, 63, 65, 66, 67

JGol: S. 9, 11, 14, 25, 69

MFro: S.18, 23, 26, 27, 28, 30, 39, 60, 61, 68, 70

DHof: S. 14, 23, 25, 37, 38, 50, 52, 62, 69

KBoc: S. 41, 42, 43

www.lugert-verlag.de